四庫全書記事

經部

商務印書館

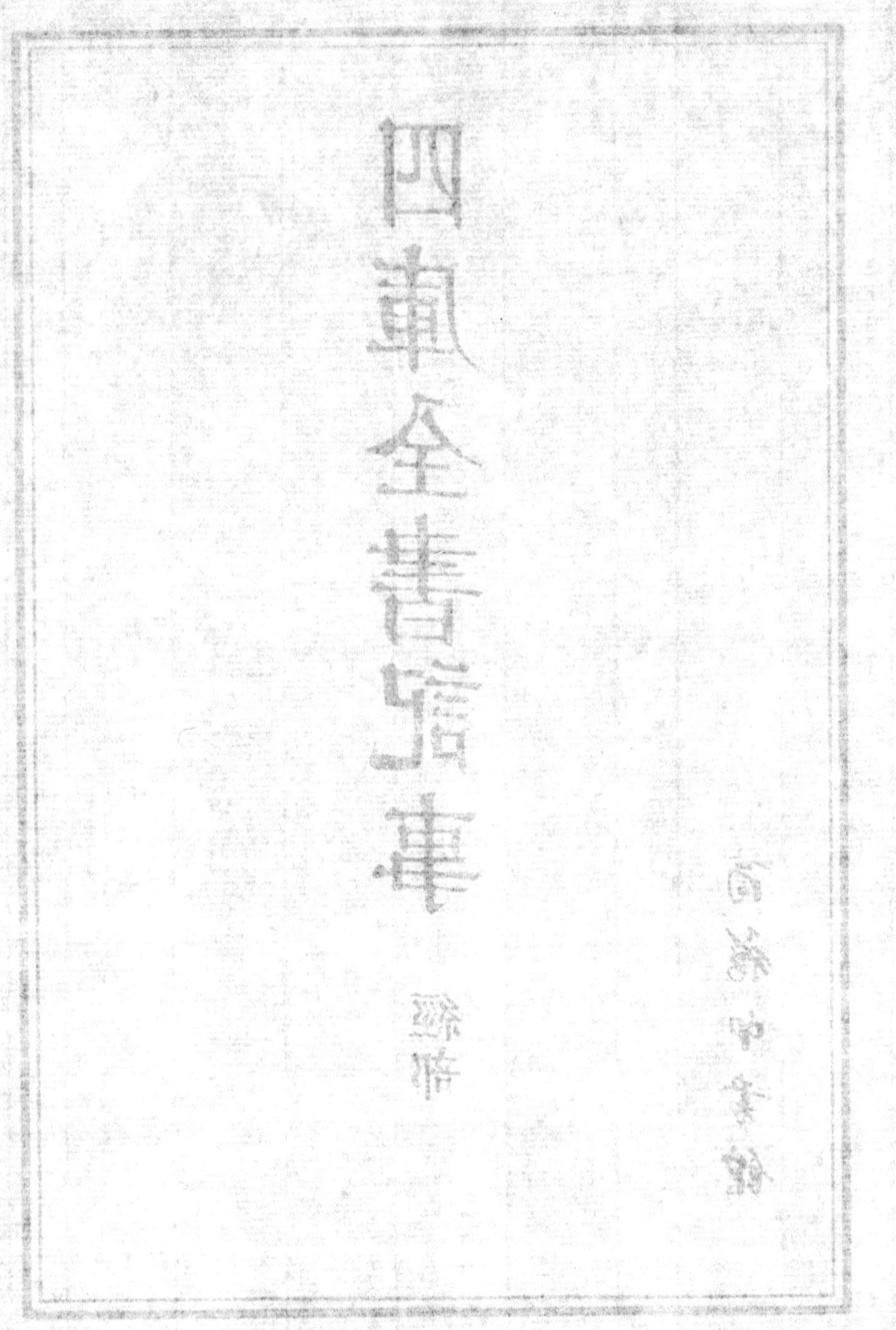
四庫全書記事

出版說明

清乾隆主持修撰的《四庫全書》，由紀昀等三百六十多位高官學者編撰，三千八百多人抄寫繪製，耗時十三年始編成。

作為中國歷史上規模最大的一部叢書，其基本囊括了中國古代主要的典籍，共有三萬六千多冊，分經史子集四部，不僅文字浩瀚，所附的二萬餘幅手繪插圖也極為精美，所涉題材廣泛，包含了易象、天文、數學、植物、器物、肖像、服飾、紋樣、山水、方志、建築、詩詞、戲曲、農耕、水利、地圖、日常生活等各個領域，體現了清代手繪插圖的藝術水準，是研究中國古代政治、經濟、文化、民俗的可貴材料，具有極高的藝術欣賞價值和學術研究價值。

在書籍裝幀方面，《四庫全書》雖為鈔本，仍體現了中國古代刻本的特色，例如包背裝。包背裝產生於元末明初，是在蝴蝶裝的基礎上改良而形成的。包背裝是將印好的書頁背對背地對折成筒子頁，配頁後將書幀折縫邊撞齊壓平，再把折口對面的紙邊作為後背粘牢，穿釘紙捻，環背包裹書衣而成。

書衣，因其如書的衣服，故名。我國古代對書衣十分講究，歷代官書的書衣，對其材質和顏色更為注重，大都是用絲織的絹綾製成，顏色多用黃紅藍紫等。《四庫全書》更為突出，書衣用青紅藍灰四色，象徵春夏秋冬四季，對應四庫分類的經史子集。

為再現《四庫全書》在文字、插圖、版式、裝幀等方面的原貌，今從文津閣本中選取版式、插圖，彙編成記事本。以原書的首末頁，作為記事本的首末頁，完整原樣地保留了『文津閣寶』『太上皇帝之寶』『避暑山莊』的印文，使讀者得以一瞥乾隆御览鈔本之貌。裝幀採用包背裝，四色全天然耿絹書衣，內页以涇縣手工特種淨皮宣紙印製，宜採用毛筆或水性書畫筆書寫。

欽定四庫全書　　　　經部三

欽定詩經傳說彙纂目録　　　　詩類

[illegible]

周南

國風

卷第一

詩集傳序

大序

綱領

卷首下

欽定四庫全書

詩傳詩世圖

欽定四庫全書

詩類

經部三

大輅

聶氏崇義曰巾車掌王之五輅玉金象革四輅其飾雖異其制則同金特圖王輅之一兼太常之旂以備祭祀所乘其

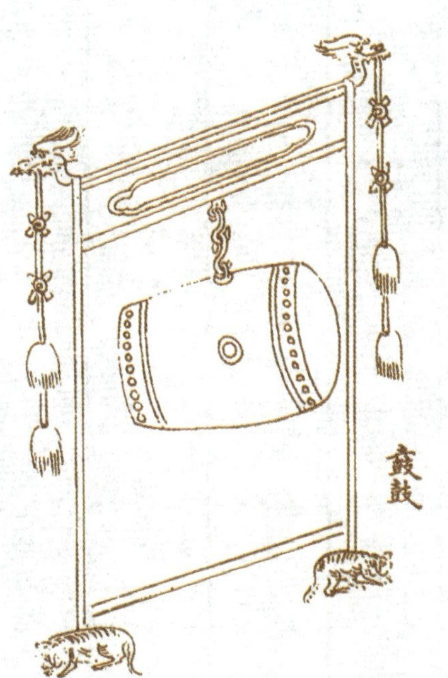

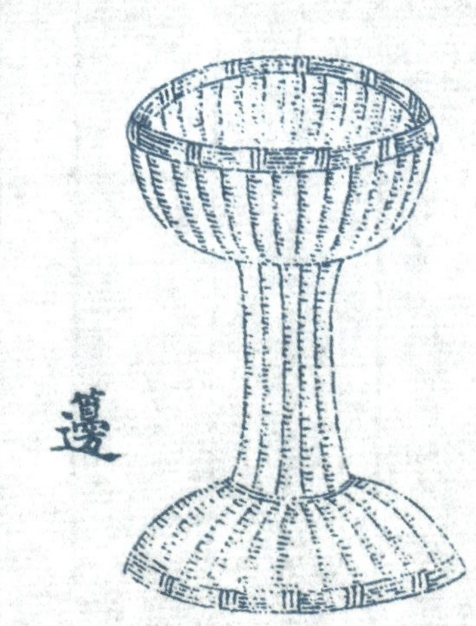

籩

業上樹羽

業上端有璧翣

筍

崇牙

崇牙

虡

虡

壁翣 畫繒為翣戴以璧垂五采羽於其下植於虡之角上以為飾周制也明堂位注

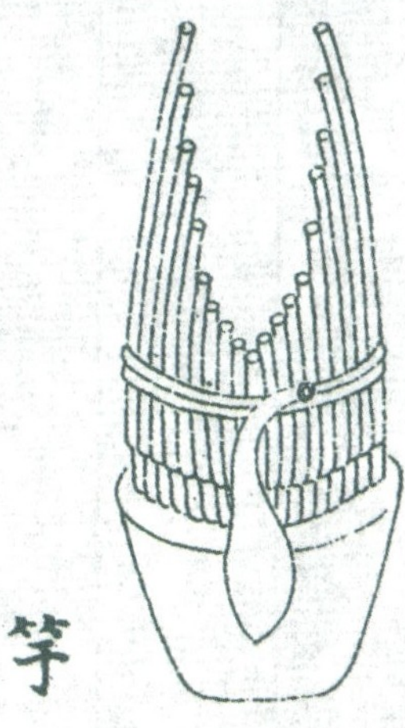

四庫全書記事

經部

三

衮服

駔圭璋璧
琮琥璜

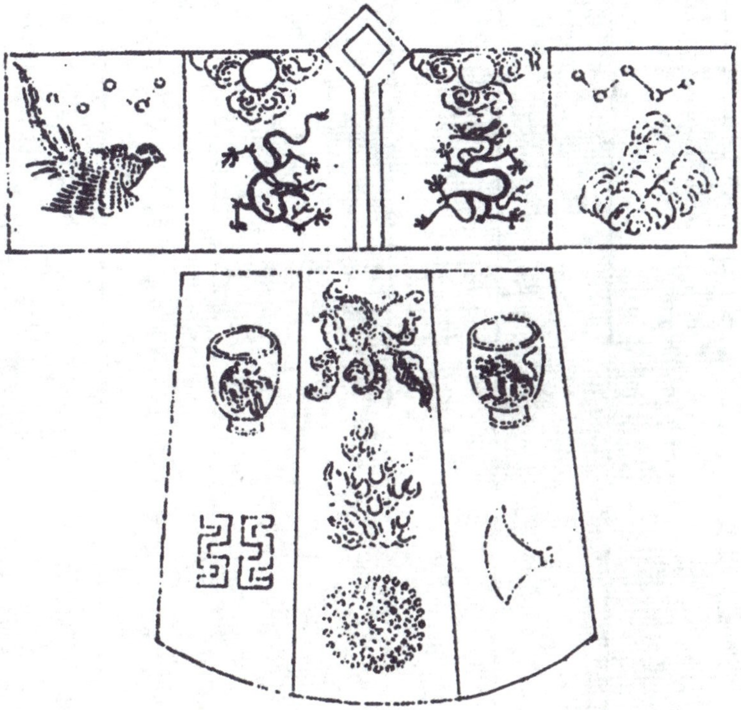

赤璋
璧琮
青圭
白琥
玄璜

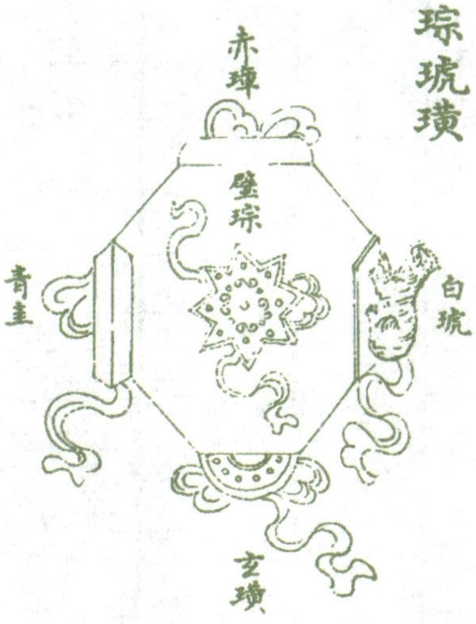

建鼓

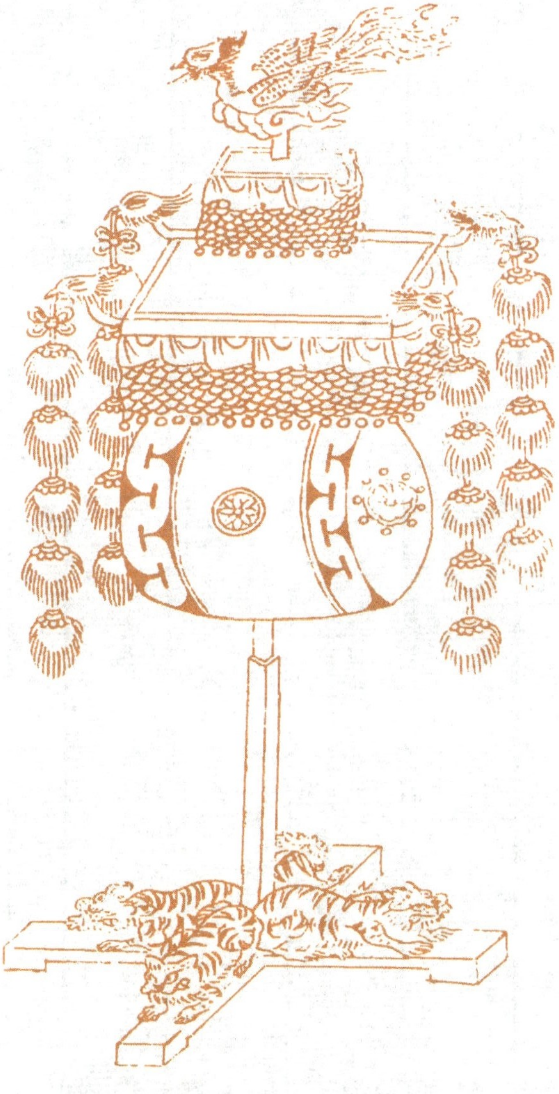

楅

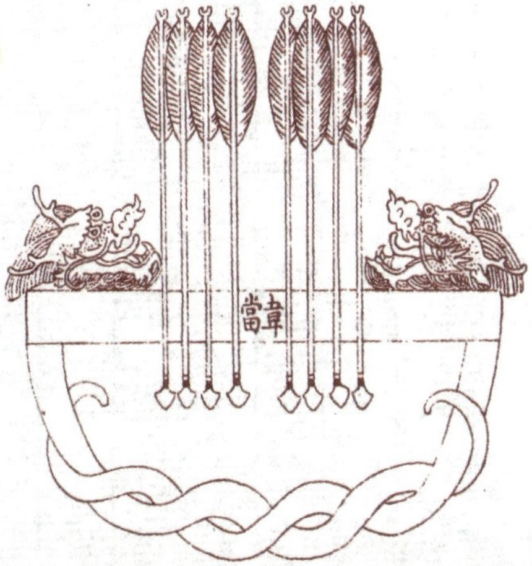

韋當

四庫全書記事

經部

六

觿

辟雍

玄武 周禮龜蛇為旐

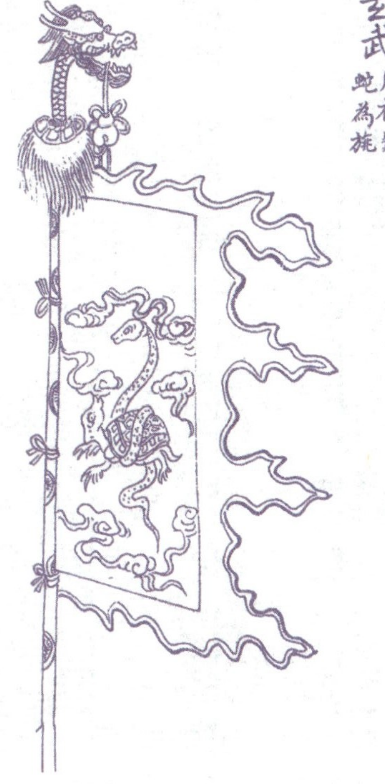

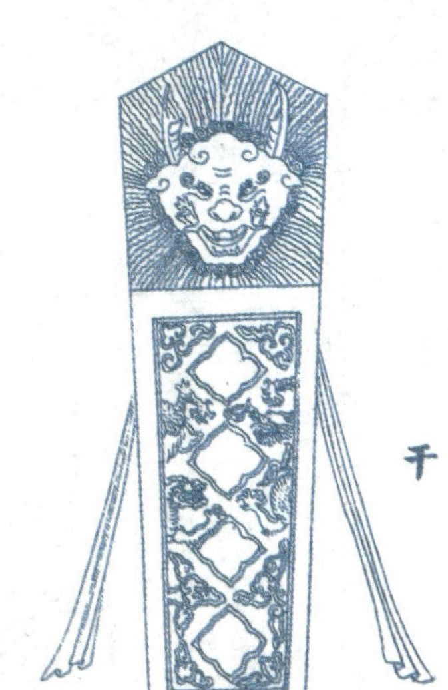

干

四庫全書記事

經部

八

衮冕

揄翟

四庫全書記事

經部

九

豐

輁軸

四庫全書記事

經部

一〇

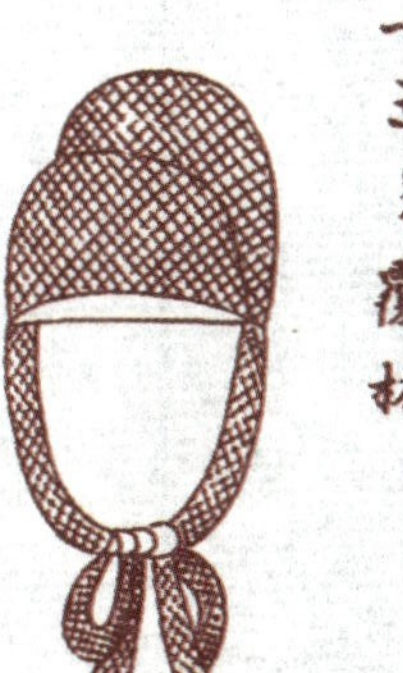

王冕服赤舄 黑絇繶純

四庫全書記事

經部

二

綪結佩 結又屈之

[illegible]

[illegible]

欽定四庫全書

禮書卷五十

視學養老之

禮 鄭氏曰庠位之處則三老如賓五更如介羣老如衆賓必也

宋 陳祥道 編

四庫全書記事

經部

一二

璣衡圖

圓者為璣徑八尺圓周二丈五尺以璿玉為之轉而運之以象天之行

玉衡

望筒

孔徑一寸

直者為衡長八尺以美玉為之從下望璣以視星辰

四庫全書

十二章服圖

日

月

龍勺

十二章服圖

舞　旌

四庫全書記事

經部

一四

欽定四庫全書

六經圖卷七

巾車玉輅制圖

宋　楊甲　撰

四庫全書記事

綵仗

一四

四庫全書記事

經部

一五

燋

韍

四庫全書記事

經部

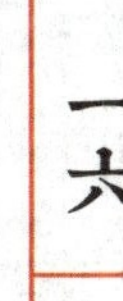

一六

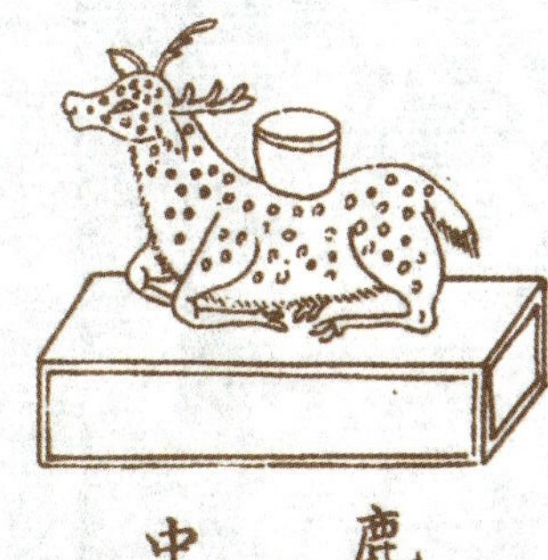

鹿中

童子服

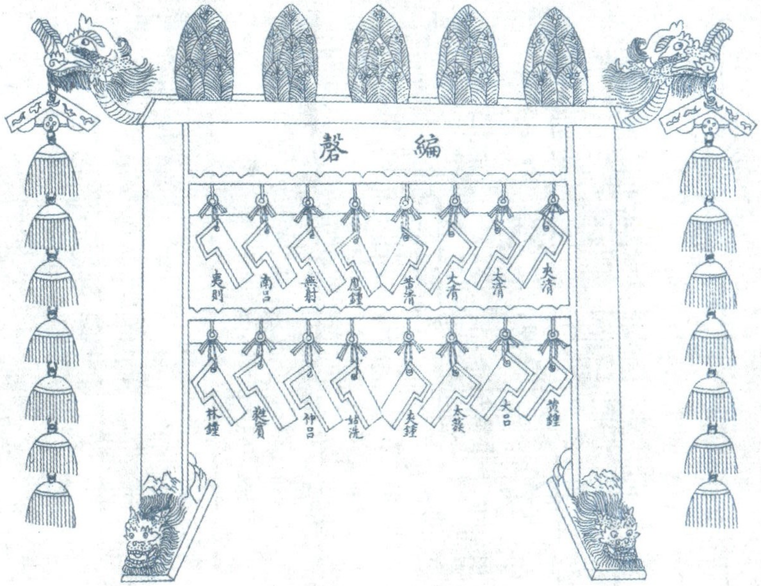

黃鍾鎛鐘

衡 甬 舞 鉦 鼓 隧 于 欒 欒

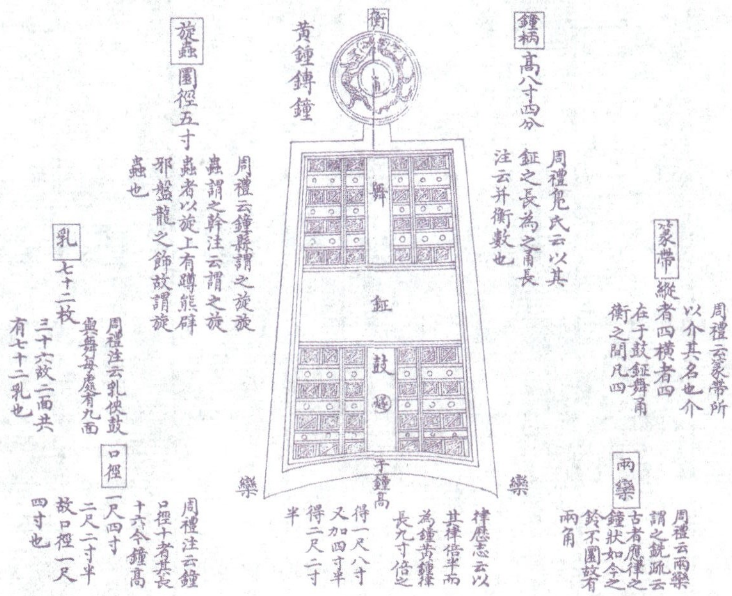

鍾柄 高八寸四分

周禮鳧氏云以其鉦之長爲之甬長注云并衡數也

篆帶 縱者四橫者四

周禮云篆帶所以介其名也介在于鼓鉦舞甬衡之間凡四

兩欒

周禮云兩欒謂之銑疏云古者應律之鍾狀如今之鈴不圜故有兩角

于鍾高

律歷志云以其律倍半而爲鍾黃鍾律長九寸倍之得一尺八寸又加四寸半得二尺二寸半

旋蟲 圍徑五寸

周禮云鍾縣謂之旋旋蟲謂之幹注云謂之旋蟲者以旋上有蹲熊辟邪盤龍之飾故謂旋蟲也

乳 七十二枚

周禮注云乳俠鼓與舞每處有九面三十六故二面共有七十二乳也

口徑 一尺四寸

周禮注云鍾口徑十者其長十六今鍾高二尺二寸半故口徑一尺四寸也

編磬

夾清 太清 大清 黃清 應鍾 無射 南呂 夷則

黃鍾 大呂 太蔟 夾鍾 姑洗 仲呂 蕤賓 林鍾

冕服九章圖

龍

山

華蟲

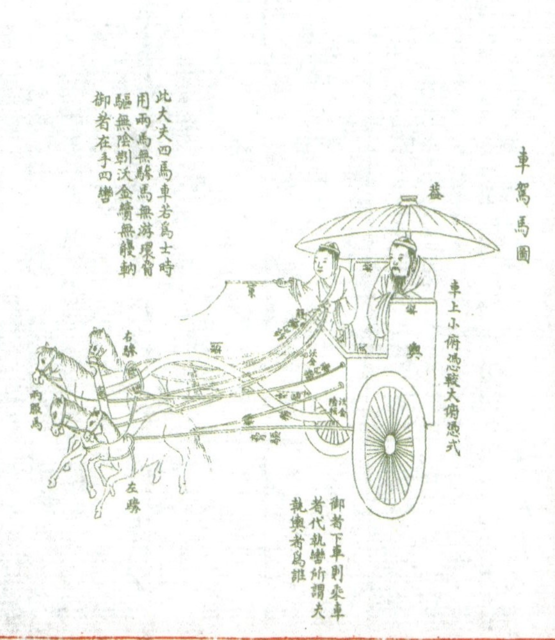

方相圖

狂夫四人蒙熊皮黃金四目元衣朱裳執戈揚盾帥百隸而時儺以索室而敺疫

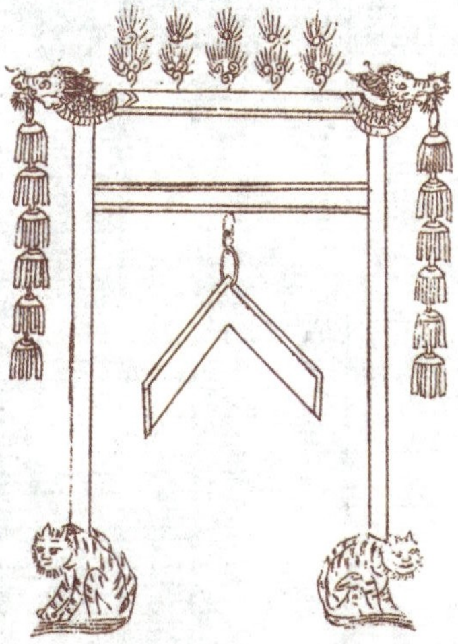

離磬 磬

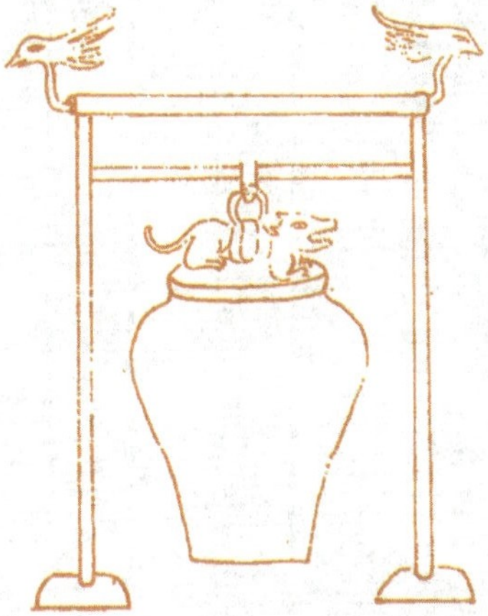

金錞 錞于

四庫全書記事

經部

二一

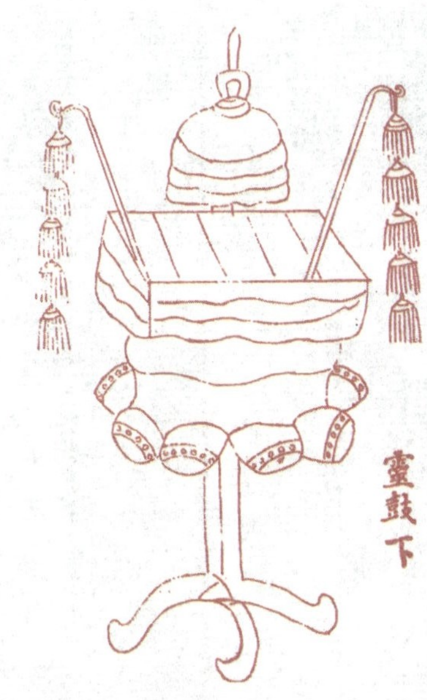

靁鼓下

提鼓

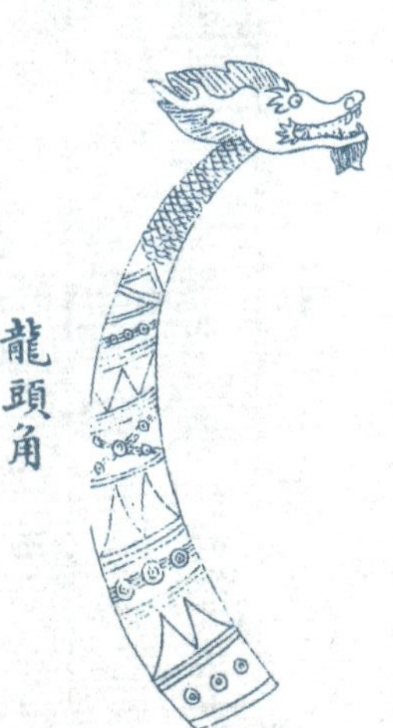

龍頭角

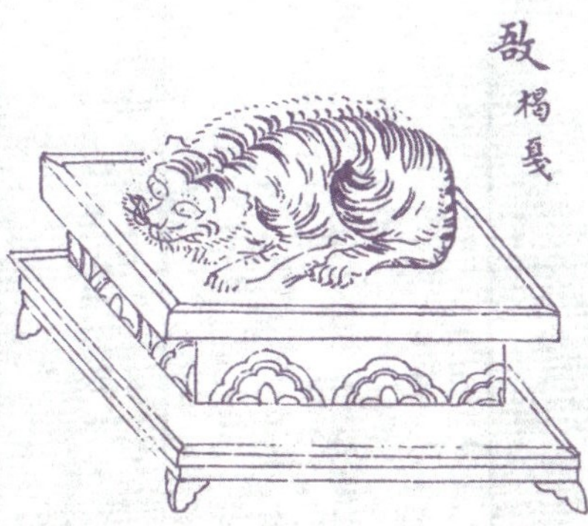

敔 楬戛

四庫全書記事

經部

二三

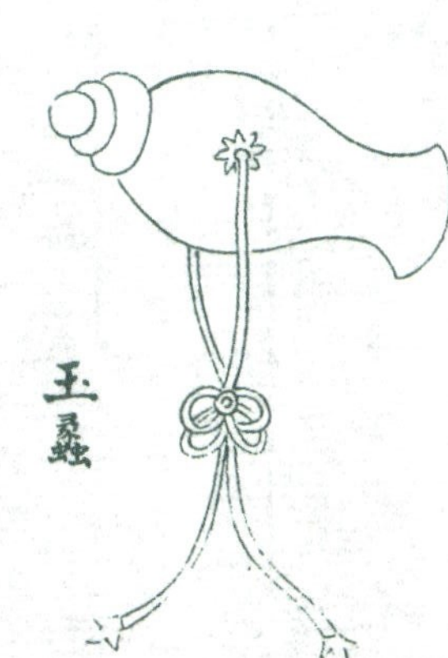

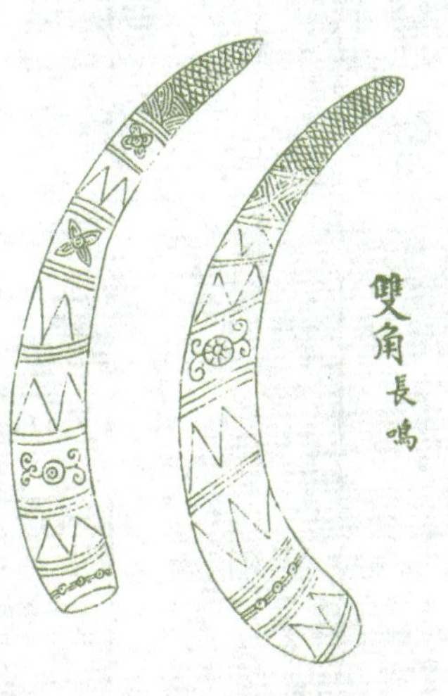
雙角
長鳴

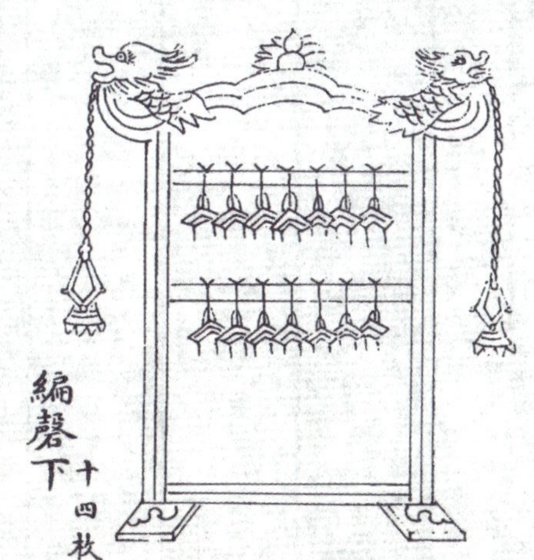
編磬下
十四枚

四庫全書記事

經部

二五

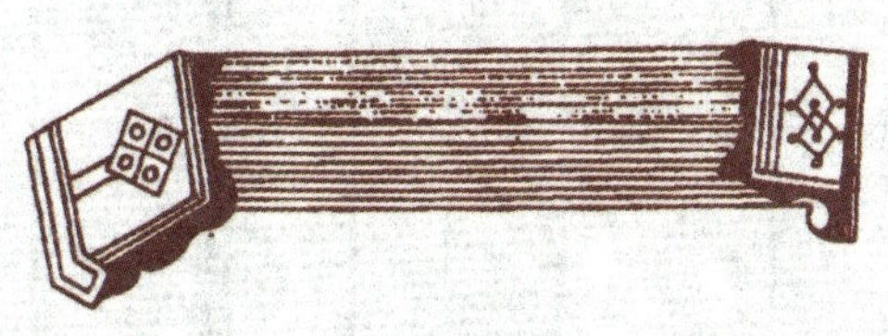

素琴

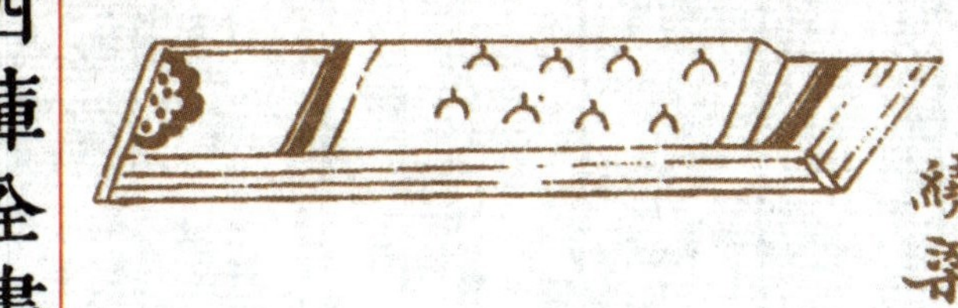

繞梁

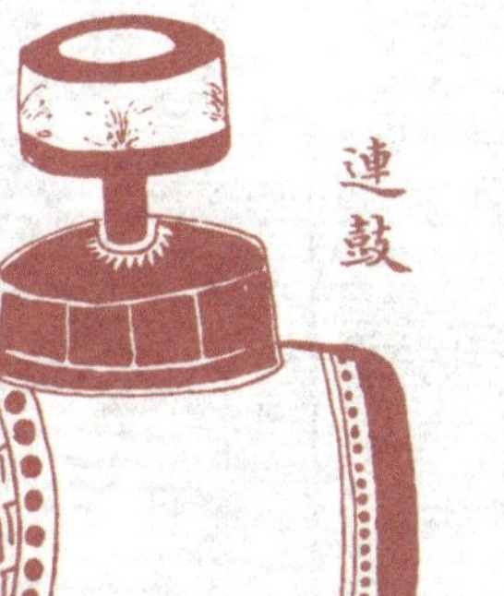

連鼓

交龍鼓

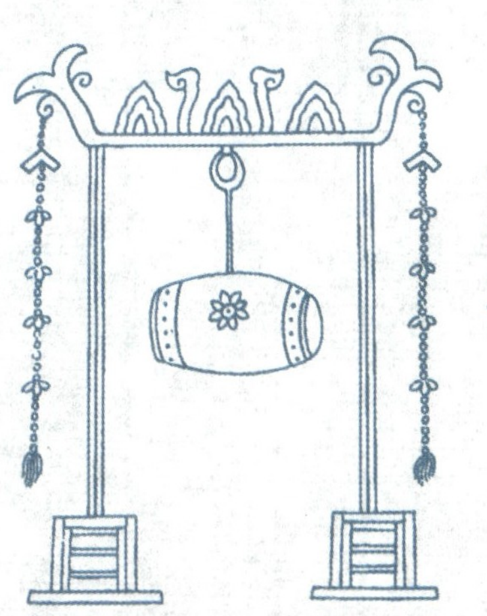

熊羆鼓下

教坊鼓

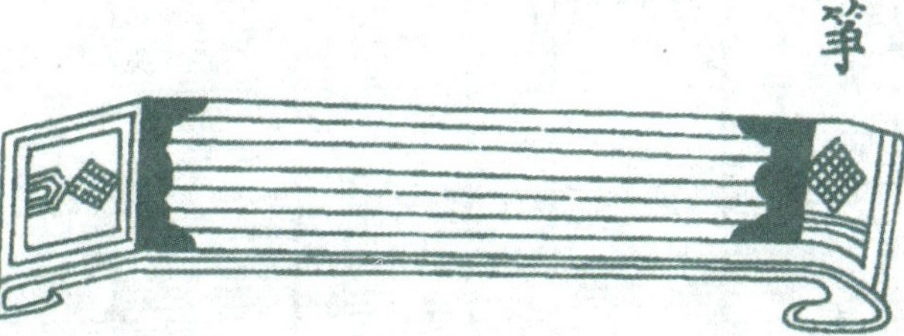
五絃箏

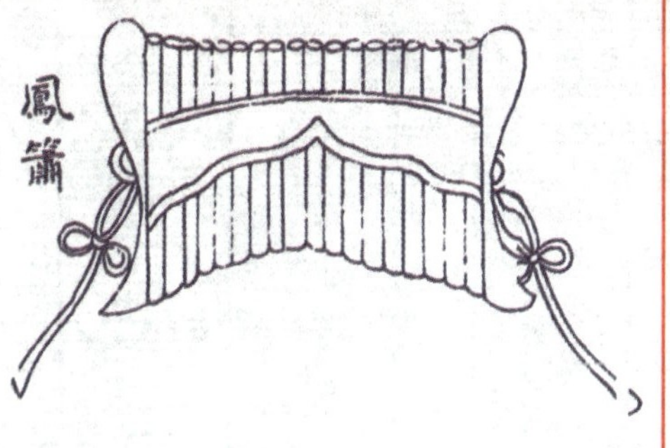
鳳簫

撫拍

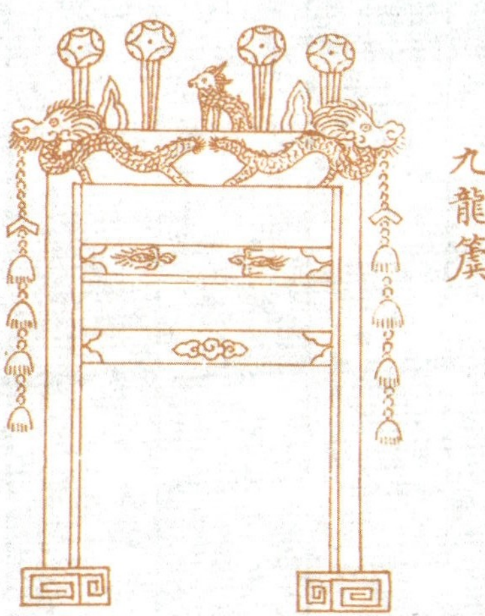
九龍簴

人舞

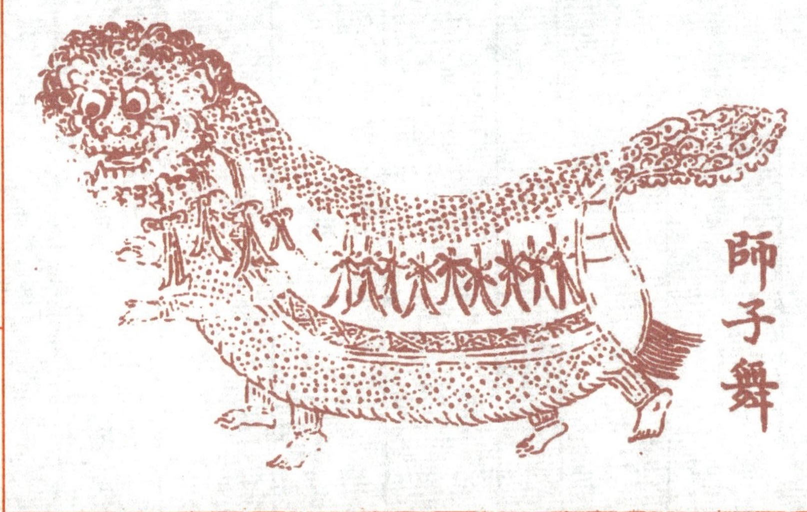

師子舞

歌鐘

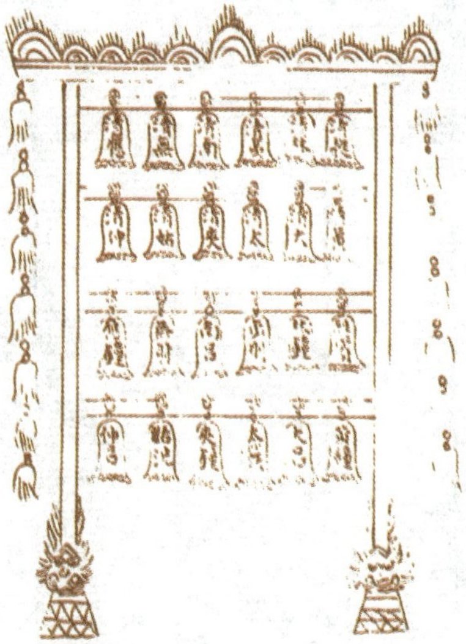

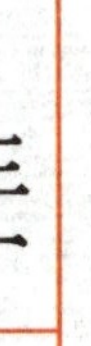

明堂位曰夏后氏之鼓足蓋少昊冒革以為鼓夏后加四足焉

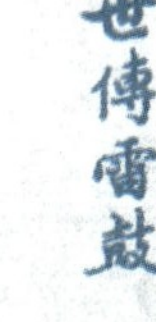
世傳雷鼓

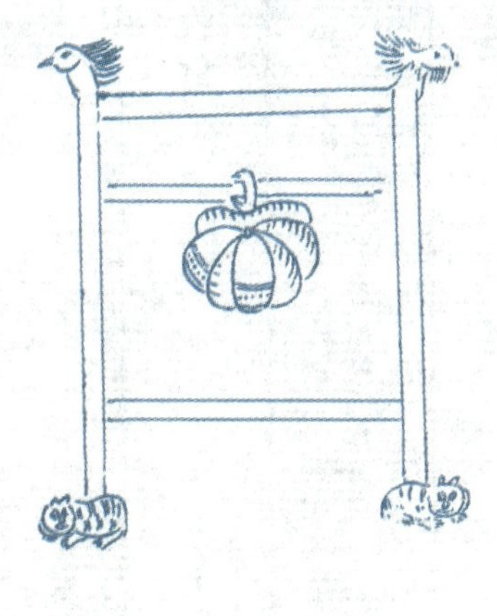

十二管排簫

黃鍾 大呂 太蔟 夾鍾 姑洗 仲呂 蕤賓 林鍾 夷則 南呂 無射 應鍾

用畢則如此安頓

敔小樣

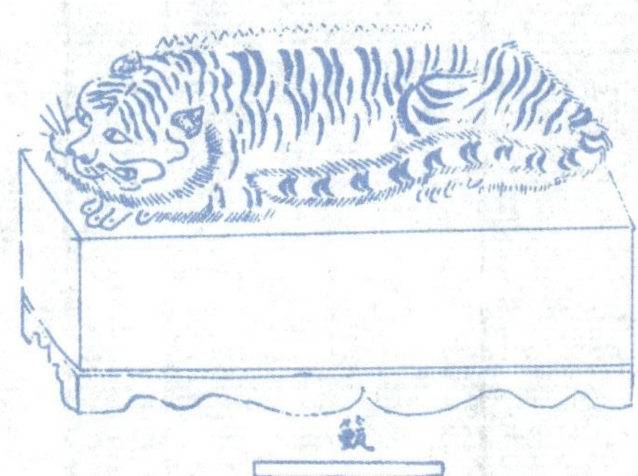

敔用楸木造其形類板箱而覆長三尺六寸廣一尺八寸高一尺底向上其下有趺高廣二寸此乃座也座上有物形如睡虎伏地而卧脊背上有二十七齒形如鋸齒名曰齟齬通以楸木刻成戛敔物形如界尺長尺廣寸厚分名曰籈亦以楸木為之

四庫全書
經部
三三

左手持搏拊右手相工圖

古制搏拊熟皮為囊實之以糠與今不同

指掌旋宮之圖

一宮二徵三商四羽五角六和七中為主

變宮名和變徵名中循環無端是名旋宮

黃林太南姑應甤
大夷夾無仲黃林
太南姑應甤大夷
夾無仲黃林太南
姑應甤大夷夾無
仲黃林太南姑應
甤大夷夾無仲黃
林太南姑應甤大
夷夾無仲黃林太
南姑應甤大夷夾
無仲黃林太南姑
應甤大夷夾無仲

四庫全書[illegible]事

經部

三四

三笙一和立於磬南之圖

凡堂下樂皆立故經文不言席
皆非無目之人故經文不言相

六十者坐故堂上工宜擇老者
五十者立故堂下樂宜用少者

三人舞

四庫全書
經部

四庫全書記事

經部

三六

外轉轉過勢

非字第四春

外轉仰瞻勢

非字第七春

四庫全書記事

經部

三六

内轉伏覩勢

非字第六舂

鍾

無論銅鐵不拘大小但有見成鐘皆可用

初聲時播鼗畢擊鐘一聲起頭已後不擊

已上皆伸而仰
舞向右者倣此

八對持枚勢

象教籲揚

編鐘

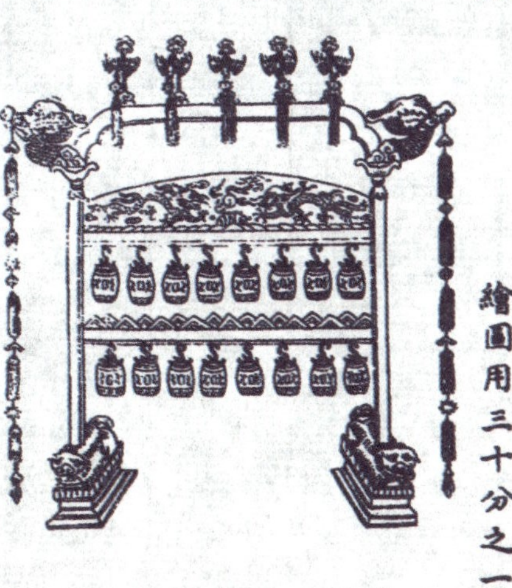

繪圖用三十分之一

四庫全書
三八

琴

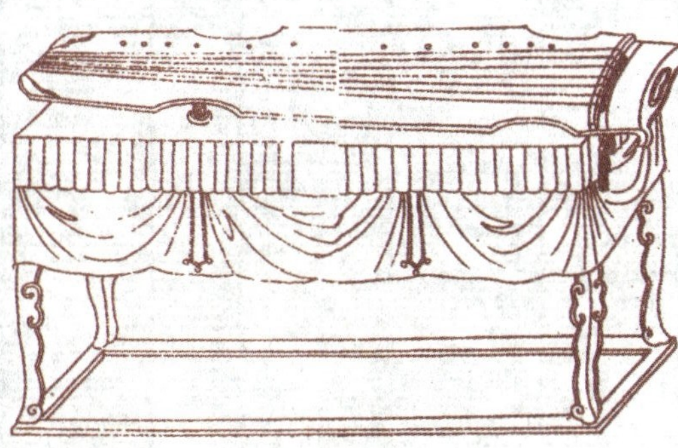

繪圖用五分之一

編磬

繪圖用三十分之一

琴

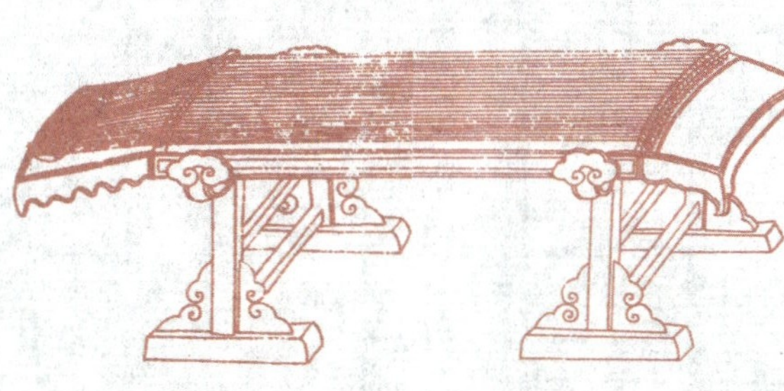

繪圖用十分之一

排簫正面式

大呂塤前面式

後面式

小笙

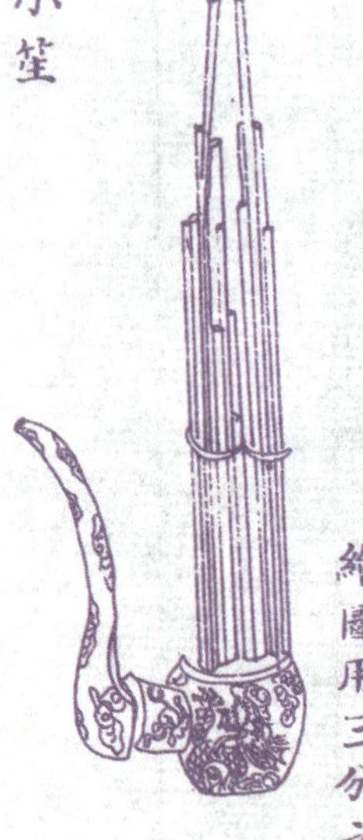

繪圖用三分之一

柷

繪圖用百分之八

敔

繪圖用百分之八

繪圖用六分之一

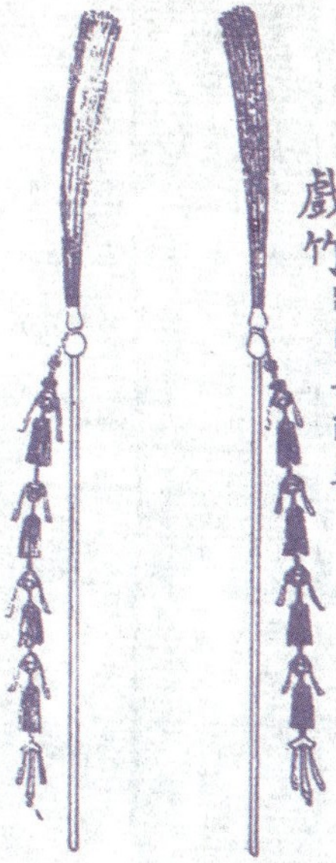

戲竹 制同丹陛樂

笛 制同中和樂

四庫全書詩事

經部

四十

繪圖用十分之二

三絃

槽邊長六寸四分八釐
闊六寸零六釐八毫
槽面長六寸零六釐八毫
闊五寸三分九釐三毫
槽厚二寸六分九釐六毫
柄長二尺九寸一分六釐
上闊九分一釐

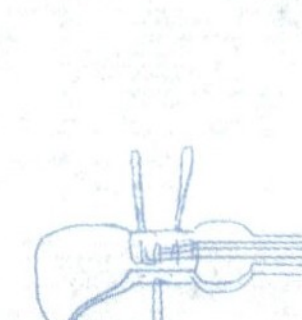

四庫全書記事

經部

四八

板

制同丹陛樂

四庫全書

四八

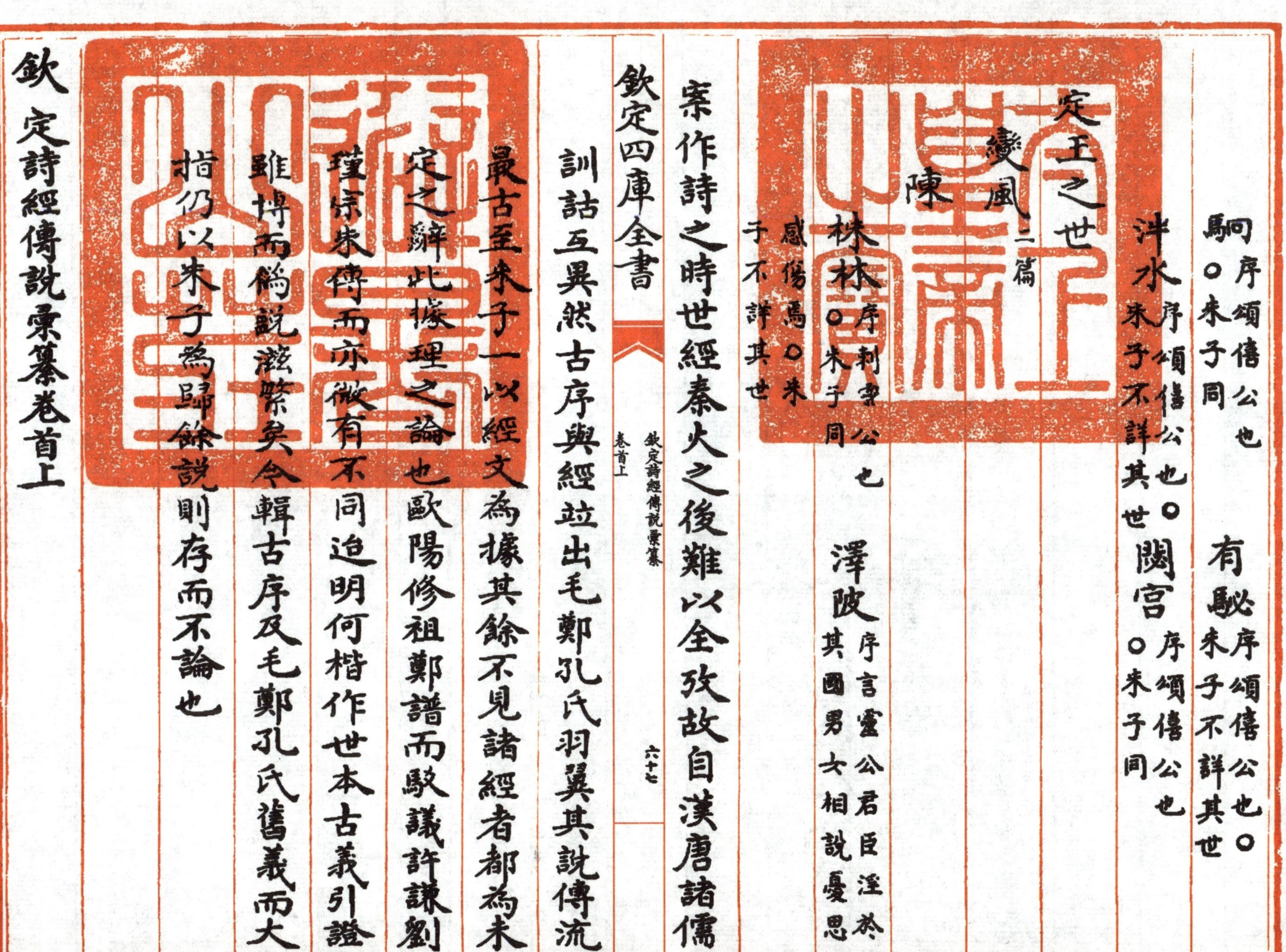

駉序頌僖公也○朱子同　有駜序頌僖公也○朱子不詳其世

泮水序頌僖公也○朱子不詳其世　閟宮序頌僖公也○朱子同

定王之世

變風二篇

陳　株林序刺靈公也○朱子同　澤陂序言靈公君臣淫於其國男女相說憂思感傷焉○朱子不詳其世

案作詩之時世經秦火之後難以全攷故自漢唐諸儒

訓詁互異然古序與經竝出毛鄭孔氏羽翼其說傳流最古至朱子一以經文為據其餘不見諸經者都為未定之辭此據理之論也歐陽修祖鄭譜而駁議許謙劉瑾宗朱傳而亦微有不同迨明何楷作世本古義引證雖博而偽說滋繁矣今輯古序及毛鄭孔氏舊義而大指仍以朱子為歸餘說則存而不論也

欽定詩經傳說彙纂卷首上